"Petal Portraits"

이 컬러링북은 당신을 아름답고 매혹적인 세계로 안내합니다.
이 책의 각 페이지마다 사랑스러운 소녀와 아름다운 꽃들이 여러분의 예술적 손길을 기다리고 있습니다.
색칠을 통해 이 장면들에 생명을 불어넣어 보세요.

이 컬러링북은 여러분이 창의력을 발휘하고 편안한 마음으로 색칠의 즐거움을 느낄 수 있도록 제작되었습니다. 예술적 재능을 표현하고 힐링의 시간을 가질 수 있는 완벽한 선택이 될 것입니다. 이 책과 함께 아름다운 색칠의 세계로 여행을 떠나보세요.

자, 이제 여러분의 예술가 본능을 깨워 좋아하는 색칠 도구를 준비하세요. 각 페이지를 통해 사랑스러운 소녀와 꽃의 조화로운 세계로 여행을 떠나 보세요. 여러분만의 독특하고 아름다운 걸작을 만들어가며 무한한 즐거움을 느끼시길 바랍니다.

행복한 색칠 시간이 되시길 바랍니다!

Rose

Tulip

Lily

Sunflower

Daisy

Violet

Daffodil

Iris

Lavender

Chrysanthemum

Poppy

Pansy

Begonia

Hyacinth

Geranium

Marguerite

Hydrangea

Camellia

Peony

Anemone

Freesia

Canna

Gerbera Daisy

Azalea

Mimosa

Jasmine

Carnation

Gladiolus

Baby's Breath

Aster

Morning Glory

Lupinus

Dahlia

Angelonia

Lilium

Echinacea

Camelia

Poinsettia

Stock

Petunia

Evening Primrose

Grape Hyacinth

Rose of Sharon

Sage

Liatris

Cherry Blossom

Hibiscus

Calla Lily

Angel's Trumpet

Passion Flower

Petal Portraits

발 행 | 2024년 06월 14일
저 자 | UMAKE
펴낸이 | 한건희
펴낸곳 | 주식회사 부크크
출판사등록 | 2014.07.15(제2014-16호)
주 소 | 서울특별시 금천구 가산디지털1로 119 SK트윈타워 A동 305호
전 화 | 1670-8316
이메일 | info@bookk.co.kr

ISBN | 979-11-410-8976-4